Anna aime bien ses dents,
mais elle a besoin
de broches.

3

Ses dents ne sont pas très croches, mais elles ne sont pas très droites non plus.

5

« Pourquoi ne pas laisser
mes dents comme elles sont? »
se demande Anna.

Et si ses broches se dressaient comme des antennes de télévision?

Et si elles ressemblaient
à une voie ferrée?

— Ne t'inquiète pas,
dit docteure Côté.
Je vais rendre tes
dents plus jolies.

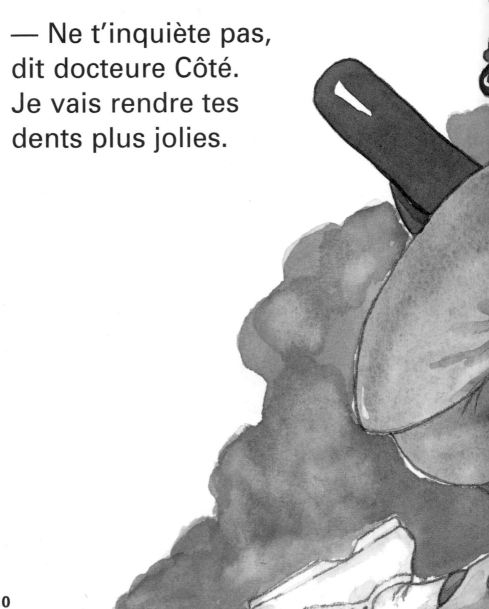

11

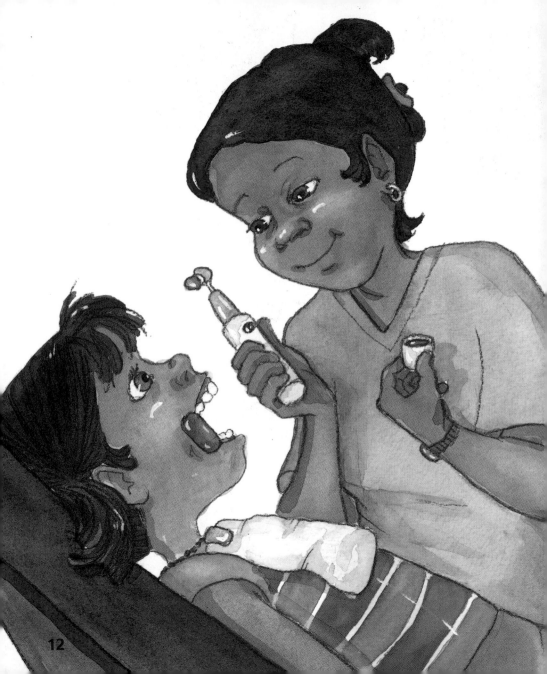

Docteure Côté brosse
d'abord les dents d'Anna.

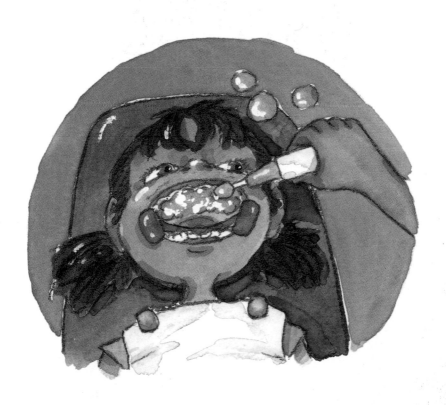

Puis elle y colle les broches.

Ensuite, Anna choisit
une couleur.

Docteure Côté donne un miroir à Anna pour qu'elle voie ses nouvelles broches.

Anna est surprise.
Ses dents n'ont pas changé.
Les broches sont bleues et grises.

— Il faudra du temps pour
que tes dents redeviennent
droites, dit docteure Côté.

23

À l'école, tous les camarades
d'Anna veulent voir ses
nouvelles broches.

25

À la banque, la caissière
dit à Anna qu'elle aime
leur couleur bleue.

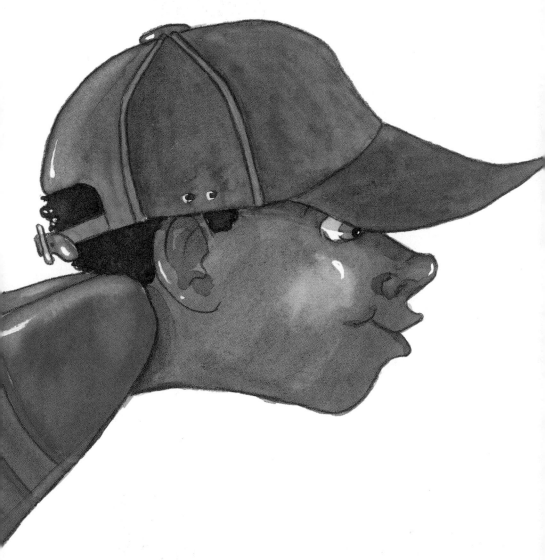

Toute l'équipe de balle molle
les trouve super aussi.

Elles ne sont pas si moches,
ces broches, après tout.

LISTE DE MOTS

a	d'abord	je	ressemblaient
à	de	jolies	se
aime	demande	la	ses
antennes	dents	laisser	si
après	des	les	sont
aussi	dit	leur	super
balle	docteure	mais	surprise
banque	donne	mes	télévision
besoin	dressaient	miroir	temps
bien	droites	moches	tes
bleue	du	molle	tous
bleues	école	ne	tout
broches	elle	non	toute
brosse	elles	nouvelles	très
caissière	ensuite	ont	trouve
camarades	équipe	pas	un
ces	est	plus	une
changé	et	pour	vais
choisit	faudra	pourquoi	veulent
colle	ferrée	puis	voie
comme	grises	que	voir
couleur	il	redeviennent	y
croches	inquiète	rendre	

APPRENTIS LECTEURS

PAS SI MOCHES, LES BROCHES

Christine Florie

Illustrations de Christine Tripp

Texte français de Claudine Azoulay

Éditions

■SCHOLASTIC

À Paige et Corinne,
mes plus grandes sources d'inspiration
— C.F.

À mes petits-fils,
Brandon, Kobe et Reece
— C.T.

Catalogage avant publication de Bibliothèque
et Archives Canada

Florie, Christine, 1964-
Pas si moches, les broches / Christine Florie; illustrations
de Christine Tripp; texte français de Claudine Azoulay.

(Apprentis lecteurs)
Traduction de : Braces for Cori.
Niveau d'intérêt selon l'âge : Pour enfants de 3 à 6 ans.
ISBN 0-439-94100-8

I. Azoulay, Claudine II. Tripp, Christine III. Titre.
IV. Collection.

PZ23.F56Pa 2006   j813'.6   C2005-906837-X

Édition publiée par les Éditions Scholastic, 175 Hillmount Road, Markham (Ontario) L6C 1Z7.

5 4 3 2 1   Imprimé au Canada   06 07 08 09